ED. PERELLÓ

LLETRES
VALENCIANES

AF237812

LOS BORGIA: SOMBRAS DE PODER Y TRAICIÓN

ED. PERELLÓ
LLETRES VALENCIANES

Colección dedicada a difundir la obra escrita por autores valencianos, tanto en lengua valenciana como castellana, incluyendo obras clásicas de la literatura valenciana. También recoge libros de autores contemporáneos nacidos en Valencia, así como traducciones y adaptaciones de la literatura universal.

La colección *Lletres Valencianes* está compuesta por: *Cants d'amor*, de Ausiàs March, *Lletres de batalla*, de Joanot Martorell i Joan de Montpalau; *Tirant lo Blanch*, de Joanot Martorell; *Cañas y barro*, de Vicente Blasco Ibáñez; *Leyendas de Valencia*, de Ismael Martí; *El Xicotet Príncep*, de Antoine de Saint-Exupéry, *Quizá desde la ventana*, de Sara Mañero, entre otros...

IGNASI PIQUER

Los Borgia
Sombras de poder y traición

EDICIONS PERELLÓ

© Del texto: Ignasi Piquer
© De la cubierta: José Cazorla García
© Ed. Perelló, SL, 2025

Calle de la Milagrosa Nº 26, Bajo
46009 Valencia
e-mail: info@edperello.es
http://edperello.es

I.S.B.N.: 979-13-87576-19-6
Depósito legal: V-528-2025

Impreso en España

Este libro ha sido impreso en papel
ecológico procedente de bosques sostenibles.

Índice

1

El Origen de una Dinastía

El viento helado que soplaba desde el Mediterráneo atravesaba las estrechas calles de Xàtiva como un presagio de los tiempos oscuros que estaban por venir. La ciudad, con su muralla imponente y su intrincado laberinto de callejuelas, era un lugar de contrastes: de belleza y decadencia, de fe y corrupción. Fue en esta urbe donde comenzó la historia de una de las familias más poderosas y controvertidas de la historia: los Borja.

Rodrigo Borja, un joven ambicioso y astuto, caminaba por el claustro del monasterio de Sant Jeroni de Cotalba, donde había recibido su formación. El sonido de sus pasos resonaba firme en la piedra antigua, pero su mente estaba en otra parte. Sabía que su destino no era el de un simple clérigo. El poder, la influencia y la gloria lo esperaban, y estaba dispuesto a hacer cualquier cosa para alcanzarlos.

—Rodrigo —una voz suave interrumpió sus pensamientos.

Era su tío, el Cardenal Alonso de Borja, un hombre de avanzada edad cuya mente seguía tan afilada como una daga. Había tomado a su sobrino bajo su protección desde que Rodrigo era un niño, moldeándolo para que siguiera sus pasos en el camino del poder.

—Tío —respondió Rodrigo, inclinando la cabeza en señal de respeto.

Alonso lo observó con orgullo. Había visto en Rodrigo un potencial que otros no habían logrado percibir, pero también sabía que ese mismo potencial podía ser su ruina si no lo manejaba con cuidado.

—Debes entender, Rodrigo, que el poder no es un derecho: es algo que se toma y se protege a cualquier costo. Ciertamente, la Iglesia es un campo de batalla, y quienes no están preparados para luchar serán devorados.

Rodrigo asintió. Había escuchado esas palabras muchas veces antes, pero ahora, más que nunca, sentía su verdad resonar en su ser.

—Lo sé, tío. Pero estoy listo.

Alonso sonrió ligeramente, aunque sus ojos permanecieron serios.

—Pronto tendrás la oportunidad de demostrarlo. El Papa Calixto III está ya viejo y enfermo. Cuando él se vaya, habrá una lucha por el poder, y debes estar preparado para tomar lo que es nuestro.

El silencio cayó entre ellos, pesado y lleno de implicaciones. Rodrigo sabía que el tiempo para actuar se acercaba. Los Borja no eran bien vistos en Roma, los consideraban extranjeros, advenedizos que no merecían un lugar en el corazón de la cristiandad. Pero eso cambiaría. Rodrigo se aseguraría de poner a su apellido en el centro del poder.

Esa misma noche, mientras el Palacio Borja descansaba bajo la luz de la luna, una figura encapuchada se deslizó en las sombras. Se movía con la agilidad de un gato, evitando las patrullas y pasando desapercibida por las ventanas iluminadas. La figura se dirigió hacia la habitación de Alonso de Borja, donde el anciano cardenal dormía, ignorante del peligro que se cernía sobre él.

La figura extrajo un pequeño frasco de su capa, vertiendo su contenido en la copa de vino que descansaba en la mesa junto a la cama del cardenal. Luego, con la misma rapidez con la que había entrado, desapareció en la noche.

A la mañana siguiente, Alonso de Borja fue encontrado muerto en su cama. Los médicos hablaron de una muerte tranquila, pero Rodrigo sabía la verdad. El poder había cambiado de manos esa noche, y ahora, todo recaía sobre él.

2

Intrigas en el Vaticano

La ciudad eterna, centro del poder cristiano, era un hervidero de conspiraciones y ambiciones. Corría el año 1492. Tras la muerte del Papa Inocencio VIII, la lucha por el trono de San Pedro se había intensificado, y Rodrigo Borja, ahora un cardenal influyente, estaba en el centro de todo.

—Necesitamos asegurarnos de que no haya oposición —dijo Rodrigo en un tono bajo, mientras hablaba con Cesare, su hijo mayor, que había heredado su ambición y astucia—. Debemos eliminar cualquier amenaza antes de que se convierta en un problema.

Cesare, un joven de mirada fría y determinación feroz, asintió.

—Ya he tomado medidas, padre. Los que no se alineen con nosotros no vivirán lo suficiente...

Rodrigo sonrió con aprobación. Había criado a su hijo para ser un guerrero en un campo de batalla donde las armas eran el veneno, el chantaje y la manipulación. Sabía que Cesare haría lo que fuera necesario para asegurar la posición de la familia Borja en Roma.

—Padre —continuó Cesare—, he escuchado rumores de que los Sforza están reuniendo fuerzas en el norte. Podrían intentar interferir en la elección.

—Los Sforza… —Rodrigo frunció el ceño—. Siempre han sido un obstáculo. Pero no debemos actuar precipitadamente. Primero, asegurémonos de que nuestros aliados están firmemente de nuestro lado. Luego, si es necesario, eliminaremos a los Sforza como lo hemos hecho con otros menos importantes.

Cesare asintió, comprendiendo la necesidad de paciencia. Ambos sabían que el poder no solo se ganaba con fuerza, sino con astucia.

Las campanas de la Basílica de San Pedro comenzaron a sonar, anunciando el inicio del cónclave papal. Rodrigo se levantó y ajustó su capa roja de cardenal. Sabía que los próximos días serían cruciales.

—Recuerda, Cesare —dijo mientras se dirigía a la puerta—, el poder es fugaz. Debemos tomarlo y mantenerlo con firmeza, o lo perderemos para siempre.

Cesare lo observó mientras salía, admirando la determinación de su padre. Sabía que estaba destinado a grandes cosas, y haría lo necesario para cumplir ese destino.

El cónclave fue tenso y lleno de maniobras políticas. Los cardenales se dividieron en facciones, cada una intentando imponer su voluntad. Pero Rodrigo, con su encanto mediterráneo y sus promesas bien calculadas, fue ganando apoyo día tras día.

Finalmente, en la última votación, su nombre fue anunciado como el nuevo Papa.

—¡*Habemus Papam!* —gritaron los cardenales, mientras Rodrigo, ahora Alejandro VI, se levantaba con una sonrisa triunfante.

La multitud afuera estalló en vítores, pero en su corazón, Alejandro sabía que la verdadera batalla apenas comenzaba. Había alcanzado el poder supremo, pero mantenerlo requeriría toda su astucia.

3

La Red de Poder

Convertido en el Papa Alejandro VI, Rodrigo Borja comenzó a tejer una red de alianzas y traiciones que lo ayudaría a consolidar su poder en Roma. El Vaticano, bajo su mando, se transformó en un centro de intrigas, donde las decisiones más importantes se tomaban en la sombra, lejos de los ojos del público.

Los corredores del Vaticano estaban llenos de rumores. Los Borja eran conocidos por su ambición desmedida y su falta de escrúpulos, y Alejandro no hacía nada por desmentir esas acusaciones. Al contrario, las utilizaba a su favor, creando una imagen de invencibilidad y temor que mantenía a sus enemigos a raya.

—Padre, hemos asegurado el control sobre las finanzas del Vaticano —informó Cesare en una reunión privada con Alejandro—. También he hecho arreglos para que nuestros aliados en Milán reciban el apoyo que necesitan. A cambio, estarán en deuda con nosotros.

Alejandro asintió, satisfecho y le puso la mano sobre el hombro antes de afirmar:

—Bien hecho, Cesare. Pero no debemos confiar en nadie más que en nosotros mismos. La lealtad en Roma es tan frágil como el cristal. Si es necesario, rompámoslo antes de que se vuelva contra nosotros.

Mientras tanto, Lucrecia Borja, la hija de Alejandro, desempeñaba un papel crucial en los planes de su padre. A pesar de su juventud, la bella Lucrecia era tan astuta como su hermano, y Alejandro confiaba en ella para manejar las delicadas alianzas matrimoniales que consolidarían el poder de la familia.

—Padre, los Orsini han propuesto una alianza matrimonial —dijo Lucrecia, mostrando una carta sellada con el emblema de la poderosa familia romana—. Su hijo Paolo podría ser un buen candidato.

Alejandro consideró la propuesta, con los ojos entrecerrados.

—Los Orsini… una familia poderosa, pero también ambiciosa. Debemos ser cuidadosos, querida. Si aceptamos, debemos asegurarnos de que ellos ganan menos de lo que nosotros ganamos. Y si es necesario, debemos estar listos para eliminar cualquier amenaza que surja de esta alianza.

Lucrecia sonrió con picardía.

—Por supuesto, padre. Siempre estoy preparada para actuar en el mejor interés de nuestra familia.

Alejandro sabía que podía confiar en Lucrecia. Su belleza la hacía deseable, pero era su inteligencia lo que la convertía en una mujer muy peligrosa. Juntos, padre e hija tejieron una red de intrigas que se extendía por toda Europa, utilizando el matrimonio, el veneno y la traición como herramientas para mantener el control.

Una noche, mientras la ciudad dormía, un mensajero llegó al Vaticano con una carta sellada. Era un informe de uno de los espías de Alejandro, detallando una conspiración que se estaba gestando entre varios nobles romanos. El informe mencionaba una reunión secreta en las catacumbas bajo la ciudad, donde se planeaba un atentado contra la vida del Papa.

Alejandro leyó la carta con calma, sin mostrar ninguna emoción. Luego, la entregó a Cesare.

—Sabes lo que tienes que hacer —dijo y lo miró fijamente a los ojos.

Cesare asintió, comprendiendo perfectamente las instrucciones de su padre. Esa noche, un grupo de hombres leales a los Borja descendió a las catacumbas, y al amanecer, los cuerpos de los conspiradores fueron encontrados en las aguas del Tíber. El complot había sido sofocado antes de que pudiera comenzar.

Con cada conspiración derrotada y cada enemigo eliminado, Alejandro consolidaba su control sobre Roma. Pero sabía que el peligro acechaba en cada esquina, y que debía mantenerse un paso por delante de sus oponentes. La ciudad eterna era un campo de batalla, y él estaba dispuesto a hacer lo que fuera necesario para ganar no solo cada batalla sino también la guerra de la supervivencia.

4

El Mapa Secreto

Los pasillos oscuros de los Archivos Vaticanos eran un lugar reservado solo para unos pocos privilegiados. El Papa Alejandro VI recorría el recinto con pasos medidos, mientras los candelabros proyectaban sombras danzantes sobre los antiguos estantes llenos de pergaminos. A su lado, Cesare caminaba en silencio, siempre alerta.

—Estos documentos contienen siglos de secretos —dijo Alejandro frente a un estante polvoriento—. Conocerlos nos da poder, pero algunos misterios son tan peligrosos como útiles.

Cesare observaba a su padre con atención. Alejandro sacó un pergamino inscrito, asegurado con un sello que llevaba el símbolo de la cruz templaria. Lo desenrolló con cuidado y le mostró a Cesare lo que parecía ser un mapa.

—¿Qué es esto, padre? —preguntó Cesare, inclinándose a examinarlo.

—Un legado de los templarios —respondió Alejandro, con una sonrisa casi imperceptible—. Este mapa lleva a algo más valioso que el oro. Según los registros, marca la ubicación de un antiguo tesoro escondido en las catacumbas bajo Roma.

Cesare se emocionó, su mente ya trabajando en los detalles de la expedición. Sabía que las catacumbas eran un laberinto de túneles peligrosos, llenos de trampas y vigilados por enemigos que no dudarían en actuar, pero encontrar aquel tesoro le interesaba mucho.

—Organizaré un grupo de confianza para buscarlo —dijo Cesare, tomando el mapa—. Pero necesitamos a alguien que pueda descifrar las inscripciones. No podemos permitirnos errores.

—Habla con Lucrecia. Ella tiene un don para los idiomas antiguos y puede ayudarnos.

Esa misma noche, Cesare y Lucrecia, acompañados por un pequeño grupo de guardias leales, se adentraron en las catacumbas. El aire era frío y húmedo, y el eco de sus pasos llenaba los

estrechos pasillos. Lucrecia llevaba consigo una lámpara de aceite y una copia del mapa, mientras observaba cuidadosamente las paredes, en busca de los símbolos descritos en el pergamino.

—Este lugar es inquietante —dijo Lucrecia, rompiendo el silencio—. ¿Sabías que los primeros cristianos usaban estas catacumbas para esconderse?

—Y ahora nosotros buscamos descubrir sus secretos —respondió Cesare, con sonrisa irónica.

El grupo avanzó hasta llegar a una bifurcación donde el mapa indicaba un símbolo peculiar: una cruz entrelazada con un círculo. Lucrecia se arrodillo para examinar una inscripción grabada en la pared.

—Aquí dice que la entrada está protegida por una prueba de fe y astucia —dijo, mientras trazaba con los dedos las líneas del grabado.

—¿Una prueba? —preguntó Cesare, con impaciencia—. No tenemos tiempo para acertijos y pruebas.

Antes de que Lucrecia pudiera responder, el suelo bajo sus pies comenzó a temblar. Una losa se deslizó hacia un lado, revelando una escalera descendente.

—Parece que el lugar está más vivo de lo que pensábamos —dijo Lucrecia, con un destello de nerviosismo en los ojos.

El grupo descendió por la escalera de piedras, que los llevó a una cámara amplia iluminada por una tenue luz que emanaba de los cristales de las paredes. En el centro, había un pedestal con un antiguo cáliz. Sin embargo, en cuanto uno de los guardias intentó acercarse, se dispararon unas flechas desde las paredes, hiriéndolo de muerte.

—¡Cuidado! —gritó Cesare, mientras el guardia caía al suelo.

Lucrecia se adelantó, estudiando el pedestal y las inscripciones talladas alrededor.

—Aquí dice que solo aquel con la "sabiduría de Salomón" podrá avanzar sin peligro. Es un enigma.

Cesare gruñó, frustrado.

—¿Qué clase de juego es este?

Lucrecia lo ignoró y comenzó a leer las inscripciones. Tras un momento de reflexión, sus ojos brillaron:

—"El oro no pesa más que la fe", dice el texto. Necesitamos equilibrar el cáliz con algo que simbolice la fe. Quizás con una cruz.

Un guardia le entregó una pequeña cruz de madera que llevaba al cuello. Lucrecia la colocó en el pedestal junto al cáliz. Un clic resonó en la cámara y las trampas se desactivaron.

—Buen trabajo, hermana —dijo Cesare, con una sonrisa satisfecha.

Detrás del pedestal, se abrió una puerta secreta, revelando una pequeña sala llena de cofres antiguos y pergaminos. Dentro, encontraron oro, reliquias muy antiguas y documentos que contenían secretos de los templarios, incluido un tratado que podría usarse para chantajear a varias familias nobles.

Mientras el grupo reunía el botín, un ruido en la distancia alertó a Cesare. Envió a dos guardias a investigar, pero pronto se escucharon gritos. Un grupo de mercenarios había seguido a los Borja hasta las catacumbas, liderados por un misterioso hombre enmascarado que parecía conocer bien las catacumbas que horadaban el suelo de toda Roma.

—¡Proteged los cofres! —ordenó Cesare, mientras desenvainaba su espada.

Lo que siguió fue una feroz batalla en la penumbra, gritos, armas chocando, sangre. Cesare demostró su habilidad con la espada, mientras Lucrecia, utilizando una daga oculta, protegía los documentos más importantes. Finalmente, los Borja lograron repeler a los atacantes, pero no sin sufrir pérdidas.

—Esto no termina aquí —dijo el líder enmascarado antes de escapar—. Los Borja pagarán por lo que han robado y por sus muchos pecados.

Cesare observó al hombre desaparecer en las sombras, y añadió:

—Si quieren jugar, aprenderán que nosotros escribimos las reglas.

De regreso al Vaticano, Alejandro examinó los cofres y los documentos recuperados con una sonrisa triunfante.

—Esto no solo nos hará más ricos, sino que nos dará control sobre nuestros enemigos. ¡Bien hecho!

Lucrecia, sin embargo, no compartía su entusiasmo. Algo en la mirada del hombre enmascarado la había perturbado profundamente.

—Padre, creo que esto es solo el comienzo de algo más grande y peligroso —dijo, mientras dejaba los documentos sobre la mesa.

—Lo sé, Lucrecia —respondió Alejandro, con una mirada calculadora—. Pero recuerda, en este juego, el poder no se obtiene esperando o temiendo al peligro. Se toma y al tomarlo no tenemos más remedio que enfrentar los peligros que entraña.

5

La Espada del Duque

El sol se ponía sobre Roma, tiñendo los tejados de un rojo ardiente, mientras los vientos de guerra soplaban desde el norte. Desde las colinas cercanas, la ciudad eterna se veía hermosa, con sus amplias calles, sus monumentales edificios y sus iglesias, coronadas con campanarios y cruces.

En su residencia privada, Cesare Borgia, ahora conocido como el Duque de Valentinois, estaba de pie junto a una ventana, observando cómo los últimos rayos de luz desaparecían sobre Roma. La carta que acababa de recibir descansaba en la mesa detrás de él, abierta como una herida. Era un mensaje de advertencia: los Sforza, junto con aliados secretos, planeaban un ataque inminente contra su padre el Papa.

—¿Qué propones hacer, Cesare? —preguntó Lucrecia, sentada elegantemente en un diván cercano, con los ojos brillando de preocupación.

Cesare se giró hacia su hermana y emitió un bufido de fastidio.

—Ellos creen que pueden atraparnos desprevenidos, pero se equivocan. Mañana mismo enviaré refuerzos al norte. Además, organizaré nuestras defensas aquí en Roma. Si quieren luchar, les daremos una batalla que no olvidarán.

Lucrecia lo miró en silencio. Conocía la determinación de su hermano, pero también sabía que cada victoria tenía un precio, y el camino que Cesare había elegido estaba lleno de enemigos ocultos.

Esa noche, mientras Roma dormía, un mensajero llegó a la residencia de Cesare. Era un joven con el rostro demacrado y las ropas desgarradas.

—¿Quién te envía? —preguntó Cesare, alzando una ceja mientras lo ayudaban a ponerse de pie.

—Mi señor... —jadeó el hombre—, vengo del norte. El duque Gian Galeazzo Sforza ha contratado mercenarios para atacarle aquí, en Roma. Están cerca... llegarán antes del amanecer.

Cesare apretó los puños y miró a uno de sus guardias.

—Asegúrate de que este hombre reciba comida y descanso. Y reúne a mis capitanes de inmediato.

El mensajero fue llevado a descansar, mientras Cesare y sus oficiales se reunían en la sala de mapas. Sobre la mesa descansaba un gran pergamino que detallaba las calles y fortificaciones de Roma.

—El enemigo llegará al amanecer —dijo Cesare, señalando un punto al norte de la ciudad—. Intentarán infiltrarse antes de que podamos reaccionar, pero no les daremos esa oportunidad. Pongan doble guardia en las puertas, y prepárense para bloquear las entradas secundarias. Nadie debe entrar sin mi permiso.

Los hombres asintieron y se apresuraron a cumplir las órdenes. Cesare sabía que la noche sería larga, pero estaba acostumbrado a la presión. En su mente, el ataque no solo era una amenaza, sino una oportunidad para demostrar el poder de los Borja.

Cuando el sol comenzó a asomar en el horizonte, el sonido de los cascos resonó en las afueras de Roma. Cesare, vestido con su armadura negra decorada con el emblema de los Borja, se encontraba al frente de sus tropas. Su espada descansaba en su cadera, mientras sus ojos observaban con calma los movimientos del enemigo.

—Ahí vienen —dijo Cesare a uno de sus capitanes—. Están confiados. Creen que nos tomarán por sorpresa.

El ejército enemigo, compuesto por mercados de diferentes regiones del norte de Europa, avanzaba hacia las murallas de Roma. Los estandartes de los Sforza ondeaban al viento, mientras sus líderes daban órdenes desde la retaguardia.

Cuando el primer grupo de mercenarios llegó a las puertas de la ciudad, Cesare levantó su mano.

—¡Ahora! —gritó.

Una lluvia de flechas cayó desde las murallas, diezmando a la primera línea enemiga. Los mercenarios retrocedieron, pero Cesare no les dio tiempo para reagruparse. Con un gesto, ordenó a sus hombres abrir las puertas y cargar contra el enemigo.

La caballería los alcanzó enseguida y el choque de espadas y el grito de los hombres llenaron el aire. Cesare lideró la carga, su espada cortando cabezas, brazos y trozos de soldados enemigos, con precisión letal. A pesar de la ferocidad de aquellos mercenarios, su liderazgo inspiró a sus tropas, que lucharon con determinación.

En medio del caos, Cesare se enfrentó a un mercenario particularmente hábil, un hombre alto con una cicatriz que le cruzaba el rostro. Los dos intercambiaron golpes, sus espadas chocando con un estruendo metálico.

—¿Eres el famoso Duque de Valentinois? —preguntó el hombre con una sonrisa burlona—. No eres más que un peón en este juego.

Cesare sonrió con frialdad.

—Entonces veamos qué tan bueno eres para derrotar a un peón.

Con un movimiento rápido, desarmó al hombre y lo derribó. Sin embargo, en lugar de matarlo, lo tomó como prisionero.

—Llévenlo al Vaticano —ordenó a sus hombres—. Quiero saber quién está detrás de este ataque.

Al caer la noche, el ejército enemigo había sido derrotado y los pocos supervivientes huyeron. Roma había resistido, pero el costo fue alto. Muchos hombres leales a los Borja habían caído, y el campo de batalla estaba teñido de sangre.

Cesare regresó al Vaticano, cansado pero satisfecho. Sin embargo, sabía que esta no sería la última vez que los Sforza intentarían desafiarlos.

En su despacho, Alejandro lo esperaba con una copa de vino.

—Bien hecho, hijo —dijo el Papa, brindando con él—. Pero recuerda, la guerra nunca termina para los poderosos. Esta victoria nos fortalece, pero nuestros enemigos seguirán acechando.

Cesare asintió en silencio y se bebió de un trago su copa de vino.

—Lo sé, padre. Pero mientras los Borja estén aquí, no dejaremos que nadie nos quite lo que hemos ganado.

6

La Conspiración de los Cardenales

Roma, 1496. Los corredores del Vaticano estaban más silenciosos de lo habitual. Las intrigas y traiciones parecían flotar en el aire como una niebla de veneno invisible. Alejandro VI, siempre consciente de los susurros que lo rodeaban, estaba sentado en su despacho, con las manos cruzadas bajo el mentón. Frente a él, Cesare, con su armadura aún marcada por las batallas recientes, estudiaba un pergamino que contenía una lista de nombres.

—Los cardenales están moviendo las piezas, padre —dijo Cesare, con frialdad—. Giuliano della Rovere lidera un grupo que busca desacreditarte. Están planeando algo grande y tendremos que enterarnos de los detalles.

Alejandro tomó la lista y la observó en silencio. Cada nombre representaba a un hom-

bre que había jurado lealtad a la Iglesia, pero cuya verdadera devoción parecía estar dirigida a su propia ambición.

—Esto no es una sorpresa —dijo Alejandro, finalmente—. Pero no podemos permitir que tomen la iniciativa. Es hora de recordarles por qué los Borja están en el poder.

—Hay rumores de una reunión clandestina esta noche en las catacumbas de San Sebastián. Si logramos interceptarlos, podríamos adelantarnos a sus acciones.

Alejandro lo miró fijamente, su expresión severa, el entrecejo fruncido.

—Actúa con precisión, Cesare. No podemos cometer errores. Quiero que todos los involucrados sean identificados y neutralizados. Hazlo rápido, pero asegúrate de que el mensaje sea claro y que nuestros enemigos nos teman y no vuelvan a intentar algo contra nosotros en mucho tiempo.

Esa misma noche, Cesare lideró un pequeño grupo de hombres leales hacia las catacumbas. Vestidos con capas oscuras, se movían como sombras, siguiendo los estrechos pasadizos bajo la ciudad. La humedad impregnaba el aire y el eco de sus pasos resonaba en la distancia.

—¿Está seguro de esto, señor? —preguntó uno de sus hombres en voz baja—. Podría ser una trampa.

—Si es una trampa, será para ellos.

Llegaron a una cámara amplia, iluminada por antorchas colocadas en las paredes. En el centro, un grupo de hombres vestidos con sotanas discutía en susurros. Cesare reconoció a Giuliano della Rovere de inmediato: su postura altiva y su semblante lo delataban.

—La situación es insostenible —decía Della Rovere—. Alejandro ha corrompido la Iglesia hasta sus cimientos. Debemos actuar ahora, antes de que sea demasiado tarde.

Otro cardenal asintió y tomó la palabra enseguida:

—Pero ¿cómo? Su hijo Cesare es un animal temible, un gran guerrero y con espías en toda Roma. Tiene ojos y espadas en todas partes.

Della Rovere apretó los dientes.

—Entonces atacaremos donde más les duele: sus aliados. Si debilitamos su red y sus alianzas, caerán como un castillo de naipes.

Cesare escuchó en silencio, evaluando cada palabra. Sabía que este era el momento para actuar. Con una señal, ordenó a sus hombres que rodearan la cámara. En un instante, el sonido de espadas desenvainadas llenó el aire.

—Qué ironía escuchar a un cardenal hablar de traición en un lugar santo —dijo Cesare, apareciendo bajo la luz con una sonrisa calculada.

Los conspiradores retrocedieron, algunos desenvainando dagas en un intento desesperado por defenderse. Sin embargo, estaban rodeados, y la lucha que siguió fue breve. Cesare, con su espada manchada de sangre, se acercó a Della Rovere, quien había sido inmovilizado por dos guardias.

—¿Pensaste que podías conspirar contra los Borja y salir impune? —preguntó Cesare, inclinándose hacia él—. Subestimas nuestra vigilancia. Los Boja tenemos oídos y manos en toda Roma.

Della Rovere, aunque derrotado, mantuvo la cabeza en alto.

—La historia no recordará a los Borja como héroes, sino como monstruos.

Cesare lo miró en silencio por un momento antes de ordenar a sus hombres que lo escoltaran de regreso al Vaticano.

—Eso depende de quién escribe la historia, Giuliano.

A la mañana siguiente, los conspiradores fueron presentados ante Alejandro VI en el Salón del Consistorio. La sala estaba llena de cardenales y nobles, todos observando con atención mientras el Papa evaluaba los rostros de sus enemigos.

—Traicionar a la Iglesia es traicionar a Dios —dijo Alejandro, con una voz grave que resonó en el salón—. Y traicionar a los Borja es un acto que no perdonaremos.

Della Rovere, encadenado junto a sus compañeros, levantó la vista.

—Tu corrupción es la verdadera traición, Alejandro. Has convertido el Vaticano en un mercado, donde el oro vale más que la fe.

El Papa lo observó con una calma glacial.

—Tal vez, pero mientras tenga yo el poder, mis enemigos no vivirán para juzgarme.

Con un gesto, Alejandro ordenó que algunos de los conspiradores fueran ejecutados, mientras que otros serían encarcelados en condiciones tan severas que apenas sobrevivirían. Della Rovere, sin embargo, fue desterrado de Roma y sus posesiones decomisadas, un castigo calculado para humillarlo y reducir su influencia.

Esa noche, Cesare visitó a su padre en privado.

—El problema está resuelto, pero Della Rovere sigue siendo peligroso. Yo no subestimaría su ambición.

Alejandro, sosteniendo una copa de vino en su mano dijo:

—No lo subestimo, Cesare. Pero a veces es mejor dejar que los enemigos vivan para que se ahoguen en su propia desesperación. Della Rovere no puede regresar a Roma sin exponerse como un traidor, además, sin dinero poco podrá conseguir.

Desde su nueva residencia fuera de Roma, Giuliano della Rovere juró venganza. La llama de su ambición seguía ardiendo y el apellido Borja aún llenaba sus pensamientos con odio. Mientras tanto, en el Vaticano, Alejandro y Cesare continuaban consolidando su control, conscientes de que la próxima traición podría venir de cualquier rincón. Las sombras de Roma eran profundas, y en ellas se ocultaban enemigos que esperaban el momento perfecto para atacar.

7

Las Sombras de Ferrara

Hacia 1498 Ferrara se alzaba como un remanso de belleza en el norte de Italia. Sus calles empedradas y palacios renacentistas ocultaban intrigas tan profundas como las del Vaticano. Allí, Lucrecia Borgia había sido enviada tras su matrimonio con Alfonso d'Este, en un intento por fortalecer las alianzas de los Borja. Sin embargo, la aparente calma de Ferrara no era más que una fachada. Para Lucrecia, cada sonrisa y cada cumplido eran gestos enmascarados.

—¿Cómo encuentras Ferrara, querida? —preguntó Alfonso una tarde, mientras paseaban por los jardines del Castello Estense.

Lucrecia, vestida con un elaborado vestido de seda azul, simulaba ser una cándida y dedicada esposa.

—Es un lugar magnífico, mi señor —respondió suavemente—. Aunque echo de menos a Roma y a mi familia.

Alfonso asintió y tomándola de la mano, dijo:

—Aquí estarás segura, Lucrecia. Lejos de las sombras de los enemigos de tu familia.

Lucrecia mantuvo su sonrisa, pero por dentro sabía que no había lugar seguro para los Borja. Las sombras los seguían dondequiera que estuvieran.

Esa misma noche, mientras el castillo dormía, Lucrecia recibió un mensaje anónimo deslizado bajo la puerta de sus aposentos. Era una nota escrita con letras torpes, pero su contenido le quedó muy claro: "Hay más enemigos en Ferrara de los que imaginas. Ven al sótano del ala esta noche, si quieres conocer la verdad."

Lucrecia dudó por un momento, pero su curiosidad y su instinto de supervivencia la empujaron a seguir la pista. Se vistió con discreción, envainó una pequeña daga en su cinturón y salió de su estancia en silencio.

El sótano del castillo estaba frío y oscuro, iluminado solo por una débil lámpara de aceite que alguien había dejado en medio de la gran

sala. Cuando llegó, una figura encapuchada la esperada, sosteniendo un viejo pergamino.

—¿Quién eres? —preguntó Lucrecia, con la daga en la mano.

—No temas, mi señora —respondió la figura, bajando la capucha para revelar el rostro de un joven monje—. Soy Fra Pietro, y fui enviado para advertirte.

—¿Advertirme de qué? —preguntó Lucrecia, sin bajar la guardia.

El monje le extendía el pergamino. Estaba escrito en latín, pero Lucrecia lo leyó con rapidez. Era una carta de uno de los consejeros de Alfonso, dirigida a Giuliano della Rovere, en la que detallaba un complot para traicionar a los Borja y a su esposo Alfonso.

— ¿Qué significa esto? —exigió Lucrecia.

—Significa que algunos en Ferrara no ven con buenos ojos tu presencia aquí —dijo Fra Pietro—. Y que Della Rovere sigue conspirando contra tu familia, incluso desde el exilio.

Lucrecia apretó los labios. Sabía que debía actuar con cuidado.

—Gracias, Fray Pietro. Esto no será olvidado.

El monje desapareció entre las sombras.

A la mañana siguiente, Lucrecia visitó a Alfonso en su estudio. Encontró a su esposo revisando documentos, con el ceño fruncido.

—Esposo, ¿puedo hablar contigo? —preguntó, entrando con un aire de tranquilidad.

—Por supuesto, querida. ¿Qué ocurre? —dijo él, dejando los documentos a un lado.

Lucrecia se sentó con la carta oculta entre sus manos.

—He oído rumores inquietantes sobre algunos de tus consejeros. Me preocupa que no sean leales a ti.

Alfonso levantó una ceja.

—¿De qué rumores hablas?

Lucrecia le mostró la carta, pero con una parte del texto cuidadosamente borrada. Había eliminado toda mención de los Borja, dejando solo la implicación de un complot contra Alfonso.

—Esto llegó a mis manos anoche —dijo, entregándole el pergamino—. No quería alarmarte, pero creo que deberías saberlo.

Alfonso leyó la carta, su expresión mudó de la incredulidad a la furia.

—¡Esto es inadmisible! Ferrara está llena de serpientes. Haré que sean castigados.

Lucrecia lo observó con calma.

—Solo quiero que estés a salvo, Alfonso. Quizás deberías investigar discretamente, para no alertarlos.

En los días siguientes, Lucrecia utilizó su cargo para investigar a los consejeros de Alfonso. Descubrió que uno de ellos, Ludovico Malvasia, había estado en contacto con emisarios de Della Rovere y planeaba envenenar a Alfonso durante una cena de estado.

En lugar de alertar a su esposo, puso en marcha su plan. Durante la cena, intercambió los platos de Alfonso y Malvasía sin que nadie lo notara. Cuando el veneno hizo efecto, fue Malvasía quien cayó al suelo, retorciéndose en agonía.

—¡Envenenamiento! —gritó uno de los invitados, mientras los guardias acudían corriendo.

Alfonso miró a Lucrecia con sorpresa, pero ella mantuvo la compostura.

—Debemos ser más cuidadosos, mi señor —dijo, suavemente—. No todos aquí desean lo mejor para Ferrara.

Alfonso asintió, impresionado por la astucia de su esposa. Sin embargo, no podía evitar preguntarse cómo Lucrecia había sabido del complot.

Esa noche, Lucrecia escribió una carta a Cesare, informándole de los eventos en Ferrara: "El enemigo está en movimiento, hermano. Della Rovere no descansa, y Ferrara no es el refugio seguro que aparentemente podría ser. Pero no temas: mientras los Borja tengan aliados en las sombras, seguiremos ganando la partida".

Lucrecia sabía que su lugar en Ferrara era más peligroso de lo que había imaginado. Sin embargo, también sabía que los Borja prosperaban en el peligro. Cada conspiración frustrada era una victoria, y cada enemigo derrotado fortalecía su posición. Ferrara podía ser un campo de batalla diferente algo distante de Roma, pero Lucrecia estaba preparada para luchar por su familia. En el juego del poder, ella había aprendido a ser no solo una pieza, sino también la jugadora más hábil en el tablero.

8

Los Tesoros Perdidos de Roma

Roma en 1499, con su bulliciosa actividad y sus secretos ocultos, era tanto un hogar como un campo de batalla para los Borja. En el Vaticano, Alejandro VI había convocado a Cesare a su despacho privado. Sobre la mesa descansaba un pergamino antiguo, cubierto de símbolos y anotaciones en latín.

—Este mapa llegó a mis manos recientemente —dijo Alejandro, señalando el pergamino—. Según la información que contiene, nos ofrece la ubicación de un códice perdido de la República Romana. Contiene secretos militares y estrategias que podrían cambiar el rumbo de cualquier conflicto. Si lo obtenemos, nuestra posición será inquebrantable.

Cesare tomó el pergamino, examinando los símbolos con atención, y preguntó:

—¿Sabemos quién más busca esto?

—Los Orsini y los Colonna también lo quieren. Si consiguen este código antes que nosotros, lo usarán para unir a nuestras facciones enemigas.

—No debemos darles esa oportunidad. Reuniré a mis hombres y partiré de inmediato.

El mapa llevaba a un lugar apartado en las colinas de Roma, donde se decía que un templo olvidado de Marte, el dios de la guerra, estaba oculto. Cesare partió al amanecer con un pequeño grupo de hombres de confianza, armados y preparados para cualquier eventualidad. Entre ellos se encontraba Fra Pietro, el monje que había ayudado a Lucrecia en Ferrara, ahora al servicio de los Borja en Roma.

—Este lugar está maldito, señor —advirtió uno de los hombres, mientras avanzaban por un sendero cubierto de maleza.

—Las maldiciones son para los débiles —respondió Cesare, sin detenerse—. Los hombres de verdad hacemos nuestra propia suerte.

Llegaron a la entrada del templo al caer la noche. Una gran puerta de piedra, decorada con grabados de espadas y laureles, bloqueaba

el paso. En el centro había un mecanismo con inscripciones en latín. Fra Pietro se inclinó a leerlo.

—"Aquel que busque el conocimiento de Marte debe demostrar su valor y su inteligencia" —leyó en voz alta—. Parece ser una prueba.

Cesare observar el mecanismo, compuesto por discos giratorios con símbolos grabados. Después de unos momentos de reflexión, comenzó a mover las ruedas, alineando los símbolos con cuidado. Al terminar, un ruido de engranajes resonó en el aire, y la puerta se abrió.

—Bien hecho, mi señor —dijo Fra Pietro, impresionado.

—Adelante —ordenó Cesare—. No hemos venido hasta aquí para admirar puertas.

El interior del templo estaba oscuro y húmedo. Las paredes exhibían ricas decoraciones y con frescos que representaban batallas antiguas.

A medida que avanzaban, encontraron una serie de obstáculos: trampas ocultas, puentes colapsados y fosos que debían cruzar con cuidado. En una de las cámaras, se encontraron con un sarcófago de piedra. Fra Pietro, intrigado, comenzó a examinar las inscripciones en su superficie.

—Es un importante general de la República Romana —dijo—. Su nombre ha sido borrado, pero parece que fue un estratega muy respetado.

Cesare, impaciente, señaló hacia adelante.

—El códice no estará aquí. Sigamos.

Finalmente, llegaron a una sala más grande y que estaba a mayor profundidad, iluminada por una luz que se filtraba a través de una abertura en el techo que bien podría estar conectada con el viejo acueducto romano. En el centro había un pedestal, y sobre él descansaba el código, protegido por un vidrio grueso.

—Ahí está —dijo Cesare.

Sin embargo, antes de que pudiera tocar el vidrio, una voz resonó desde las sombras.

—César Borgia. Te pierde tu codicia. Siempre tan ambicioso.

Cesare se giró rápidamente, desenvainando su espada. Desde la oscuridad emergieron varios hombres armados, liderados por un hombre con una armadura oscura y el escudo de los Orsini en su pecho.

—Este códice no te pertenece —dijo el caballero oscuro—. Pero puedes intentar hacerlo tuyo, si crees que puedes vencerme.

El enfrentamiento fue rápido y brutal. Cesare, demostrando su habilidad como guerrero, lideró a sus hombres contra los atacantes. Espadas chocaron y gritos llenaron la sala mientras el polvo se levantaba en el aire.

En medio del caos, Fra Pietro se acercó al pedestal, utilizando su pequeña cuchilla de afilar las plumas para desactivar el mecanismo que protegía el código. Con un clic final, el vidrio se abrió, y el monje tomó el libro con cuidado.

—¡Lo tengo! —gritó, mientras uno de los hombres de Cesare lo escoltaba hacia la salida.

Cesare, al ver que su objetivo estaba asegurado, redobló sus esfuerzos. Con un movimiento rápido, desarmó al líder de los Orsini y lo empujó contra la pared.

—Dile a tus amos que los Borja siempre ganan —gritó Cesare.

Con el códice en su poder, Cesare y su grupo se retiraron rápidamente del templo, dejando atrás a los hombres derrotados.

De regreso en el Vaticano, Cesare le presentó el códice a Alejandro, quien lo examinó con cuidado. Las páginas estaban llenas de diagramas, estrategias y secretos sobre estrategias militares y pasadizos que cruzaban Roma de un extremo a otro.

—Esto es más valioso de lo que imaginaba —dijo Alejandro, con una sonrisa satisfecha—. Con este conocimiento, no solo consolidaremos nuestra posición, sino que también podremos anticiparnos a nuestros enemigos y atacarlos por la retaguardia si nos asedian.

Pero la batalla por el códice había sido solo una escaramuza en un conflicto mayor. El códice, guardado ahora en los Archivos Vaticanos, se convirtió en un símbolo del ingenio y la audacia de los Borja. Aunque, también era un recordatorio de que el poder nunca se obtiene sin enemigos, y que en las sombras de Roma, las conspiraciones nunca cesaban.

9

La Caída de un Imperio

Roma, 1503. El tiempo parecía haberse acelerado para los Borja. Su poder, aunque todavía imponente, comenzaba a mostrar grietas. Alejandro VI, que durante años había dominado la Iglesia con mano de hierro, se encontraba ahora en un estado frágil. Su salud se había deteriorado y los rumores sobre su inminente muerte corrían como centella por los pasillos del Vaticano.

Cesare, acostumbrado a enfrentar amenazas externas, ahora debía lidiar con un enemigo mucho más peligroso: el vacío de poder que inevitablemente dejaría a su padre.

El verano había traído consigo un calor sofocante que parecía intensificar la tensión en Roma. En los aposentos privados de Alejandro VI, un grupo de médicos intentaba inútilmente aliviar la fiebre del Papa. Cesare, de pie junto a la cama de su padre, observaba con una mezcla de preocupación y frustración.

—Padre, debes descansar para que puedas recuperarte —dijo, aunque sabía que sus palabras eran inútiles.

Alejandro, con la piel pálida y el rostro surcado de sudor, levantó una mano temblorosa.

—No... aún no puedo. Roma necesita a los Borja. Tú me necesitas.

Cesare apretó los labios, incapaz de admitir lo que ambos sabían: la era del Papa Alejandro estaba llegando a su fin. Afuera, en los pasillos del Vaticano, los cardenales ya comenzaban a formar alianzas, preparándose para el próximo cónclave. Giuliano della Rovere, exiliado durante años, había regresado a Roma con un objetivo claro: asegurarse de que ningún Borja volviera a ocupar el trono de San Pedro.

Mientras Alejandro luchaba contra su enfermedad, los enemigos de los Borja no perdieron el tiempo. Los Orsini, los Colonna y otros clanes rivales comenzaron a movilizarse, atacando las propiedades y los aliados de la familia.

Cesare, enfrentando una crisis en múltiples frentes, decidió actuar con rapidez.

—No podemos esperar a que ataquen —dijo Cesare a sus capitanes durante una reunión en el Vaticano—. Quemaremos sus fortalezas, aplastaremos a sus líderes y enviaremos un mensaje claro: los Borja no caerán sin luchar.

En los días siguientes, Cesare lideró una serie de campañas relámpago. Con una combinación de tácticas militares y terror psicológico, logró contener a los Orsini y a los Colonna. Las calles de Roma estaban teñidas de sangre, y la población, aterrorizada, se preguntaba cuánto tiempo más podrían los Borja mantener su dominio.

El 18 de agosto de 1503 finalmente llegó la noticia que muchos esperaban: Alejandro VI había muerto. La causa oficial fue la fiebre, pero los rumores sobre un posible envenenamiento se esparcieron rápidamente. Algunos decían que había sido un complot de los cardenales, otros que los enemigos de los Borja habían logrado infiltrarse en el Vaticano. Cesare, sin embargo, no tenía tiempo para especulaciones.

—El cónclave será nuestro próximo campo de batalla —dijo a Lucrecia, quien había viajado desde Ferrara para el funeral.

Lucrecia, vestida de luto, lo miró con tristeza.

—¿Y qué harás, Cesare? ¿A quién apoyarás?

Cesare apretó los puños.

—No importa quién sea elegido. Lo único que importa es que no destruyan lo que hemos construido, que no sean nuestros enemigos.

Pero incluso mientras hablaba, sabía que el equilibrio de poder estaba en peligro. Los aliados de Della Rovere eran muchos y Cesare ya no podía confiar plenamente en los cardenales que su padre había favorecido.

El cónclave fue un espectáculo de intrigas y traiciones. A pesar de los esfuerzos de Cesare por influir en la elección, Giuliano della Rovere salió victorioso. Con el nombre de Julio II, el nuevo Papa declaró abiertamente su intención de reformar la Iglesia y purgarla de la corrupción que, según él, los Borja habían representado.

La primera orden de Julio II fue excomulgar a Cesare y confiscar las propiedades de la familia Borja. Cesare, ahora un hombre sin aliados dentro de Roma, se encontró acorralado. Mientras sus enemigos celebraban su caída, él comenzó a planear su fuga.

Con su ejército diezmado y sus recursos económicos muy reducidos, Cesare intentó consolidar su poder en las regiones que aún estaban bajo su control. Viajó a Nápoles, buscando el apoyo del reino español, pero incluso allí encontré desconfianza y traición.

En marzo de 1504, Cesare fue arrestado por orden de Julio II y encarcelado en la fortaleza de La Mota, en España. A pesar de que hizo varios intentos por escapar, pasó el resto de sus días en una celda, recordando los días de gloria en los que había sido el hombre más temido de Italia.

Mientras Cesare caía en desgracia, Lucrecia intentaba reconstruir su vida en Ferrara. Aunque ya no tenía el apoyo directo de su familia, utilizó su inteligencia y su carisma para ganarse el respeto de la corte d'Este. En Ferrara, promovió el arte, la cultura y la arquitectura, dejando un legado que perduraría mucho más allá de su tiempo.

Sin embargo, incluso en Ferrara, el nombre Borja seguía siendo un peso. Lucrecia sabía que nunca podría escapar completamente de las sombras de su pasado. El imperio de los Borja llegó a su fin. Habían gobernado con ambición y ferocidad, pero también habían sucumbido a las mismas intrigas y traiciones que los habían llevado al poder. En cambio, su historia no fue olvidada. En los pasillos del Vaticano y en las calles de Roma, los ecos de su nombre aún resonaban, recordando a todos que el poder absoluto siempre tiene un precio y también un final.

10

El Legado de las Sombras

Ferrara, 1507. En el amanecer de una fría mañana, Lucrecia Borgia observaba el paisaje desde la alta ventana de su castillo. La niebla cubría los campos como un manto, y el canto distante de las aves rompía el silencio. Su semblante era sereno, pero sus ojos reflejaban una tormenta de pensamientos. A sus 27 años, se había enfrentado a más intrigas, traiciones y tragedias de las que cualquier persona podía soportar en una vida.

Un mensajero llegó apresuradamente al salón principal, entregándole una carta sellada con un emblema familiar: el escudo de los Borja. El corazón de Lucrecia dio un vuelo. Era un mensaje de Cesare: "Hermana, mis días en esta prisión parecen contados, pero no por una muerte esperada, sino por algo que he planeado

durante meses. Si esta carta llega a tus manos, es porque mi plan ha comenzado a ejecutarse. Ten fe y recuerda: los Borja nunca se rinden."

Desde la fortaleza de La Mota, donde César Borgia llevaba años encarcelado, hasta Ferrara, donde Lucrecia residía como duquesa, las sombras del pasado de los Borja se extendían como un eco imborrable. No eran solo figuras de intriga y controversia en Italia; en Valencia, la tierra que vio nacer a Rodrigo de Borja —Alejandro VI—, su legado era más tangible y profundo. Los Borja, hijos de Xàtiva, habían ascendido desde esta ciudad de la Corona de Aragón para convertirse en protagonistas del Renacimiento, pero su historia estaba marcada tanto por la ambición como por el estigma de la corrupción.

Cesare, en su fuga, no solo planeaba reclamar una nueva oportunidad para su destino, sino también proteger los secretos de su linaje. Su visión no se limitaba a una venganza personal: Entendía que la historia de los Borja era un pilar para comprender cómo Valencia se había convertido en un centro de poder político, económico y cultural. Habían contribuido a la expansión de las rutas comerciales entre la península ibérica y el Mediterráneo, enriqueciendo tanto a la Iglesia como a la aristocracia local. Su influencia se percibía en los monumentos y catedrales de la región, muchos de los cuales aún portaban su sello.

Cuando Lucrecia llegó a Roma siguiendo el rastro de Cesare, los encuentros y desafíos que enfrentaron no solo redefinieron su relación como hermanos, sino también su comprensión de su papel en la historia. En una villa en ruinas que había pertenecido a Alonso de Borja —el Papa Calixto III—, hallaron documentos que revelaban un aspecto más humano y estratégico del linaje Borja: su deseo de consolidar el poder valenciano en un mundo dominado por intrigas italianas y europeas.

—Hermana —dijo Cesare al verla llegar—. Sabía que vendrías.

Lucrecia lo abrazó, pero rápidamente se apartó, con una mezcla de alivio y reproche.

—¿Qué estás buscando, Cesare? ¿Venganza? ¿Redención?

Cesare tomó un gran pergamino y lo extendió sobre una mesa improvisada.

—Esto no es solo un mapa. Es un registro de los secretos de nuestra familia, escondidos durante generaciones. No estoy aquí para reclamar un trono ni para vengarme de Julio II. Estoy aquí para asegurarme de que la historia de los Borja no sea escrita por nuestros enemigos.

Lucrecia miró el mapa con atención. Las marcas indicaban no solo tesoros y documentos, sino también posibles refugios y aliados olvidados.

Sin embargo, antes de que pudieran actuar, un sonido de cascos y gritos llenaron el aire. Los hombres de Julio II los habían encontrado. Cesare y Lucrecia, junto con un pequeño grupo de leales, se prepararon para enfrentarse a los soldados. Aunque estaban en desventaja, Cesare demostró una vez más por qué había sido un estratega temido. Utilizó las ruinas a su favor, emboscando a los soldados y dividiendo sus fuerzas. Lucrecia, aunque no era una guerrera, se defendió con ahínco, utilizando su ingenio para sabotear los movimientos de los atacantes.

En medio del caos, Cesare se enfrentó al líder de los soldados, un capitán leal a Julio II.

—Tu tiempo terminó, Cesare —gruñó el capitán, mientras cruzaban espadas.

—El tiempo de los Borja es la eternidad. Siempre seremos recordados —respondió Cesare, con una sonrisa fría.

Con un movimiento rápido, desarmó al capitán y lo derribó. Sin embargo, en lugar de matarlo, le permitió escapar con un mensaje:

—Dile a Julio II que la huella de los Borja quedará por siempre en Roma y que nuestro apellido será recordado por muchos siglos gracias a nuestras buenas obras.

Neutralizado el enemigo, Cesare y Lucrecia revisaron los documentos que habían encontrado en las ruinas. Entre ellos había cartas, tratados y un diario escrito por Alejandro VI. En sus páginas, el Papa no solo detallaba sus intrigas políticas, sino también reflexiones sobre los errores de su familia y su deseo de que algún día sus descendientes enmendaran su legado. Los escritos reflejaban cómo los Borja habían usado su posición para fortalecer los lazos entre Valencia y el Vaticano. Los tratados que firmaron, las alianzas que tejieron y las inversiones que realizaron en la región valenciana permitieron que la ciudad del Turia floreciera como un centro clave durante el Renacimiento. La Ruta de la Seda, que conectaba Valencia con Oriente, tuvo en los Borja unos aliados que potenciaron su influencia a nivel internacional.

—Quizás no somos los monstruos que todos creen —dijo Lucrecia, leyendo en voz alta una entrada donde Alejandro se lamentaba por los excesos que los habían conducido a la ruina.

Cesare, por primera vez en años, mostró una expresión de vulnerabilidad.

—Tal vez aún haya tiempo para cambiar cómo nos recuerdan.

En los días que siguieron, Cesare desapareció, dejando una nota para Lucrecia: "Hermana, preserva lo que hemos recuperado. En Valencia, nuestra historia sigue viva. Tal vez algún día podamos descansar en paz, pero por ahora, asegúrate de que el mundo sepa quiénes fuimos realmente."

Lucrecia regresó a Ferrara, llevando consigo los documentos que atestiguaban cómo los Borja habían conectado a Valencia con los centros de poder más importantes de Europa. Durante los años siguientes, trabajó para que su familia no solo fuera recordada por sus intrigas, sino también por su contribución al arte, la política y la cultura. En Roma y en Valencia, los Borja dejaron una huella imborrable y su historia sigue siendo parte de la historia del Renacimiento, llena de misterio, pasiones y una mezcla de luces y sombras que aún inspira y fascina.

Quizá desde la ventana

Sara Mañero Rodicio

Quizá desde la ventana aborda la estrecha relación entre dos hermanas cuyas vidas se han visto trastocadas por completo tras un trágico accidente de tráfico sufrido cinco años atrás. La mayor, en su lucha interior por recordar lo sucedido, por recuperar ese instante perdido que le permita comprender y perdonarse, rememora su vida y la de su familia. Desde el pueblo paterno, en Cuenca, hasta Russafa; de allí, a Burjassot, a Valencia, a la Malvarrosa, en un viaje evocador que nos habla de pérdidas y de reencuentros. Tardaremos en entender por qué la menor acompaña este transitar por la memoria con un persistente deseo de serenar la remembranza.

I.S.B.N.: 978-84-19365-44-6

EDICIONS PERELLÓ